D0349234

LUSTER

Help *je kind* bij het leren

Paul Maes

E

INHOUD

1
Inleiding

Behoorlijk wat ouders steken behoorlijk wat tijd in het begeleiden van hun kinderen bij het maken van hun schoolwerk. Ze stimuleren hun kinderen hun intellectuele mogelijkheden om te zetten in schoolresultaten. Met op termijn het vooruitzicht op een waardevol diploma. Niet onterecht. In deze maatschappij bepaalt de mate van scholing voor een belangrijk deel hoe je leven eruit kan zien. Of zoals een ouder het plastisch wist uit te drukken: "Een ingenieur kan er altijd nog voor kiezen achter de vuilniskar te lopen. De vuilnisophaler kan er niet voor kiezen bruggen te ontwerpen."

Studeren... meer dan vroeger een noodzaak

Met een diploma op zak is de kans het te 'maken' in onze maatschappij gevoelig groter. Op je veertien stoppen met studeren was enkele generaties terug nog normaal. Vandaag is het officieel onmogelijk. Wat sommige jongeren niet belet eerder af te haken. Spijtig, want zij zitten met een ernstig probleem als ze enkele jaren later op de arbeidsmarkt terechtkomen.

Zelfs de volhouders krijgen steeds minder waar voor hun geld. Een diploma secundair onderwijs opent vandaag veel minder deuren dan enkele generaties terug. Er is steeds meer diploma nodig voor hetzelfde werk. Ouders hebben dus gelijk als ze zich zorgen maken over de schoolse prestaties van hun kind. Er hangt heel wat van af. Meer dan vroeger.

De focus van dit boekje

Redenen genoeg dus voor ouders om het studiegedrag van hun kind van dichtbij te volgen. En waar mogelijk positief te beïnvloeden. Daarover gaat dit boekje. Minimaal, want onze focus ligt breder. Onderwijs bereidt onze kinderen voor op een maatschappij die zich sneller dan ooit ontwikkelt. Wie vandaag afstudeert, kan rekenen op een leven van onophoudelijk bijleren, bijscholen. Dat was vroeger anders. Het is daarom geen onaardig idee onze begeleidingsfocus te verruimen van zelfstandig kunnen studeren naar zelfstandig kunnen leren. Een idee dat nog aantrekkelijker gaat lijken als we bedenken hoezeer het tweede (leren leren) het eerste (leren studeren) versterkt. Daarover verderop meer.

En zo zijn we beginnen spelen met de begrippen 'leren' en 'studeren'. Studeren is één vorm van leren. Namelijk die waarbij onze kinderen, gezeten achter hun boeken, intentioneel kennis en vaardigheden verwerven. Leren is dus ruimer: leren fietsen, leren beleefd zijn, leren eten op restaurant enzovoort.

Het verschil tussen 'leren' en 'leren leren' zorgt voor meer spraakverwarring. Zelfs binnen het onderwijs. Toch is het goed ze uit elkaar te houden. In literatuur vinden we tientallen definities van 'leren', bijvoorbeeld: 'leren' is het ontwikkelen van kennis, vaardigheden en attitudes. De kennis en vaardigheid bijvoorbeeld om je in het Frans bij een bakker verstaanbaar te maken.

'Leren leren' is dan het ontwikkelen van kennis, vaardigheden en attitudes over het ontwikkelen van kennis, vaardigheden en attitudes. Een kind dat inziet dat een verstandige spreiding van verschillende herhaalbeurten veel meer opbrengt dan dezelfde tijdsinvestering de dag voor de toets, heeft kennis ontwikkeld over het ontwikkelen van kennis. In dit voorbeeld: kennis over het leren van Frans.

Je kind uitleg geven bij leerstof die het niet begrijpt, is je kind begeleiden bij het leren. Met je kind bespreken hoe het er 'zelf' toe kan komen de leerstof te begrijpen, is je kind leren leren. Of nauwkeuriger: leren studeren.

Je kind de oplossing geven voor het computerprobleem waar het mee worstelt, is je kind begeleiden bij het leren. Je kind helpen die oplossing zelf te vinden (logisch nadenken, opzoeken op internet enzovoort) is je kind leren leren. Het effect wordt pas echt groots als ouders van deze begeleidingstijl een gewoonte maken. Hun kinderen leren dan namelijk hun plan trekken in een wisselende context. De stap naar 'hun plan trekken achter hun boeken', is klein.

Schools presteren... de ingrediënten

Intelligentie is geen onderwerp voor dit boekje. We beschouwen het als een plusminus vast gegeven. Daarmee gaan we voorbij aan de discussie die vandaag gevoerd wordt over dit onderwerp. Het hangt er inderdaad maar vanaf hoe je intelligentie definieert en welke factoren je er deel van laat uitmaken.
Intuïtief voelen we allemaal aan dat sommige kinderen meer meekregen dan anderen. Voldoende prikkeling en stimulatie op jonge leeftijd helpt kinderen weliswaar dat

potentieel te ontwikkelen, maar al bij al lijkt de marge beperkt.

Ook hoogbegaafde jongeren durven zonder diploma eindigen. Het potentieel van ons kind wordt niet automatisch omgezet in schoolse prestaties. Kinderen investeren soms relatief veel tijd en energie in verhouding tot het resultaat dat het oplevert. Ze lijken niet in staat hun studiegedrag zelfstandig bij te sturen. **Zelfsturing** is dan ook een belangrijk thema in dit boekje.

Goed dat we niet met z'n allen telkens opnieuw het wiel moeten uitvinden. Waarom zouden we onze kinderen niet laten profiteren van beproefde studie**technieken**?

"Hij kan het wel als hij maar zou willen", zeggen ouders van kinderen die te weinig tijd en energie over hebben voor hun studie. Hoe en in welke mate kunnen we als ouder de studie**motivatie** van ons kind positief beïnvloeden? Het onderzoeken waard.

2
Zelfsturing

Het ideale eindpunt van een goede opvoeding is een kind dat autonoom beslissingen kan nemen, zich competent voelt en een gevoel van eigenwaarde heeft ontwikkeld. Aan het eind van de rit kan ons kind maar beter een zelfstandig functionerend wezen zijn. Een goede opvoeding draagt het begeleiden in de richting van zelfstandig functioneren al in zich. De studiebegeleiding die ouders hun kinderen bieden, kunnen we hier niet los van zien. Meer dan in de volgende hoofdstukken bestuderen we in dit hoofdstuk onze aanpak in een ruimer perspectief.

Eén model, één voorbeeld

We leggen het mechanisme achter zelfsturend gedrag bloot aan de hand van een voorbeeld. Je ondertussen al wat ouder kind heeft net zijn rijbewijs op zak. Hij is in zijn eentje met jouw wagen op weg. Zijn aarzelend en onzeker rijgedrag wordt door de chauffeur achter hem verkeerd geïnterpreteerd met als gevolg een kopstaartaanrijding. Ondanks het paniekerige gevoel dat zich van hem meester maakt, weet je kind in een fractie van een seconde te bedenken dat één van beiden de schade van de andere zal moeten betalen. In functie daarvan moeten documenten ingevuld worden. Behalve dat moet het kruispunt dat ze blokkeren zo snel mogelijk vrijgemaakt worden. Je kind heeft het **doel** dat hij wil bereiken razendsnel bepaald. Allerlei mogelijke oplossingen schieten door zijn hoofd en worden tegen een hoog tempo afgewogen. Samen uitwijken naar de parking een beetje verderop lijkt de beste optie en dus meteen ook het **plan** dat hij voorlegt aan de tegenpartij. Die is akkoord dus samen gaan ze tot **actie** over. Terwijl ze samen naar de parking rijden, **controleert** en **evalueert** je zoon of hij goed bezig is. **Bijsturen** lijkt niet nodig. Of toch? Hij bedenkt dat de tegenpartij die hem volgt wellicht zal opdraaien voor de kosten en er om die reden wel eens tussenuit zou kunnen proberen te muizen. Daarop anticiperen, wordt een bijkomend **doel**. Het beste **plan** dat hij kan bedenken is de nummerplaat alvast in zich op te nemen. Dat doet hij ook (**actie**fase).

Soms doorlopen we deze cyclus één keer om tot het gewenste eindresultaat te komen. Soms meerdere keren.

Soms moeten we een stap terug zetten. Soms slaan we stappen over. Hoe dan ook, het ideale eindresultaat is een doel dat bereikt wordt. Dat doel kan betrekking hebben op een probleem dat we willen oplossen, maar toegespitst op het onderwerp van dit boekje ook over kennis die we willen opnemen en vaardigheden die we willen verwerven.

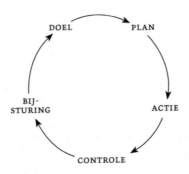

Alternatieve modellen

Het model hierboven gebruiken we graag voor kinderen uit het lager of secundair onderwijs.

Een heel bekende variant zijn de beertjes van Meichenbaum (zie afbeelding op volgende bladzijde). De beer staat met zijn probleem model voor de manier waarop problemen algemeen aangepakt worden. Het spreekt voor zich dat dit model zich richt naar jongere kinderen.

"Wat moet ik doen?"

"Hoe ga ik het doen? Ik maak een plan."

"Ik doe mijn werk"

"Ik kijk na: wat vind ik ervan?"

©Donald Meichenbaum

Een volwassen en al even bekende tegenpool is de Demingcirkel.

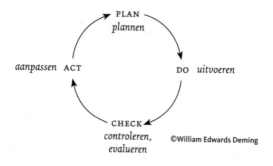

©William Edwards Deming

Het probleem

Ervaart ons kind zijn aanpak als succesvol, dan is de kans groot dat hij een volgende keer in een gelijkaardige situatie sneller naar dezelfde aanpak zal grijpen. Na enkele keren kiest hij bijna reflexmatig voor hetzelfde aanpaksjabloon. Zijn actief denkwerk is tot een minimum herleid. Daar zit meteen het voordeel van dit mechanisme: hij creëert denkruimte die hij kan gebruiken voor andere zaken. Keerzijde van hetzelfde plaatje is dat hij precies daarom niet meer aan bijsturen toekomt. Erger nog, doordat hij zijn aanpak niet meer op bewust niveau controleert en evalueert, merkt hij niet eens hoezeer bijsturen wenselijk kan zijn. Zijn aanpak wordt rigide.

Een voorbeeld. Niet weinig jonge kinderen leren uit ervaring dat ze naar wens kunnen scoren door vooraf hun leerstof één of enkele keren door te lezen. Ze associëren studeren met het herlezen van leerstof en geraken in de knoei als hun aanpak (vaak pas jaren later) plots niet meer het gewenste resultaat oplevert. De gewoonte is ondertussen zo ingeslepen dat deze kinderen bijzonder onwillig geworden zijn om hun studiegedrag te veranderen.

Wat ouders kunnen doen

Ouders kunnen hun kinderen helpen door hen te laten reflecteren over hun aanpak. Niet door de onvolkomenheden ervan aan te wijzen. Dat lokt al te gemakkelijk een verdedigende reactie uit. Wel door hen de juiste vragen te stellen. Vragen die in essentie neerkomen op:

- Wat wil je (hier en nu) bereiken? Wat is je **doel**?
- Hoe ga je dat (zo meteen) aanpakken? Wat is je **plan**?
- (**Actie**fase)
- Ben je bezig te bereiken wat je wilde bereiken? Heb je bereikt wat je wilde bereiken? (**Controle**- en evaluatiefase)
- Hoe ga je je aanpak (eventueel) **bijsturen**?

Daarbij hoeven we de antwoorden op onze eigen vragen niet eens te kennen. Ook zonder thuis te zijn in de leerstof kunnen we op deze manier veel betekenen voor de begeleiding van ons kind.

3
Studietechniek

Zijn er universele technieken, trucs die helpen goed te scoren op toetsen? Of moet iedereen zijn eigen studietechniek ontwikkelen? Ook al lijken beide vragen elkaars tegenpool, toch kunnen ze beiden bevestigend beantwoord worden. Maar als onze kinderen in meer of mindere mate zelf hun accenten mogen leggen in de manier waarop ze hun studie aanpakken, hoe bepalen we dan of ze hun studie 'goed' aanpakken? Het antwoord is eenvoudig: een goede studieaanpak is er eentje die werkt, die het beoogde resultaat oplevert.

- Dat resultaat is uit te drukken in cijfers. Is nipt voldoende oké? Of is de norm een cijfer dat zijn intellectueel kunnen eerlijk weerspiegelt?
- Resultaat kan ook uitgedrukt worden in kennis en vaardigheden die het oplevert. Is onthouden tot aan de toets de norm? Of voor altijd? Of iets daartussen?

- Of is het niet zozeer het resultaat maar eerder de aanpak die tijdsbestendig moet zijn? Een aanpak die werkt voor de toets van morgen. Maar die ook nog zal werken als hij straks verder studeert.
- Ook emotionele aspecten kunnen in rekening gebracht worden. Resultaat is dan bijvoorbeeld met een gerust hart aan de toets kunnen beginnen. Of achteraf tevreden kunnen zijn met het resultaat.

Willen we de aanpak van onze kinderen begeleiden, dan ontkomen we niet aan een gesprek over de 'norm'.

Werkgeheugen

De plaats in ons hoofd waar we bewust informatie verwerken, noemen we het werkgeheugen. In ons werkgeheugen spelen we met informatie die we opdiepen uit ons langetermijngeheugen samen met informatie die van buiten bij ons binnenkomt. Deze manipulatie van informatie kan leiden tot actie. Ze kan ook leiden tot nieuwe inzichten die daarna terug opgeslagen worden in ons langetermijngeheugen.

Het werkgeheugen en het langetermijngeheugen zijn theoretische constructies die een neurologische basis lijken te hebben.

Aandacht

Er komt veel meer informatie op ons af dan we kunnen verwerken. Bedenk wat je op dit moment hoort, ziet, ruikt, proeft en voelt. Aandacht is het mechanisme waarmee we selecteren wat bewust in ons werkgeheugen terecht komt en wat dus bewust verwerkt kan worden. Studeren is om te beginnen de kunst van het richten van aandacht op studiemateriaal.

Mocht je op dit moment een luide knal horen, dan zal het heel moeilijk zijn je te bedwingen niet meteen te kijken. Je richt je aandacht reflexief. Tenzij luide knallen een deel zijn van je leefwereld. De evolutionaire overlevings-waarde van deze vorm van aandacht is duidelijk. Maar ons kind dat wil studeren heeft er soms meer last van dan wenselijk is. Wat kan je kind doen als hij merkt dat zijn aandacht steeds meer wegglijdt?

- Verschillende studietaken zoveel mogelijk afwisselen.
- Regelmatig pauzeren. Of, nog beter, vooraf een pauze plannen waarmee hij zichzelf beloont na een gedane inspanning.
- Actiever studeren. Zichzelf dwingen hardop te stude-ren bijvoorbeeld. Of schriftelijk. Of wandelend door de kamer.

- Raar maar waar, zijn aandacht verdelen kan helpen. In de klas niet alleen letten op wat de leraar zegt, maar ook op de manier waarop hij praat, bijvoorbeeld.
- En, *last but not least*, zichzelf dwingen geïnteresseerd te zijn in wat hij leert. Door erover na te denken wat hij in zijn eigen leven kan doen met de leerstof. Of door zichzelf in te beelden dat hij in een tv-quiz over de leerstof vragen moet beantwoorden.

Wat je eruit kunt halen, daar draait het om

We gebruiken de werkwoorden vergeten en herinneren meestal als zouden het de keerzijden zijn van dezelfde munt. Vergeten en herinneren zijn veeleer de uiteinden van hetzelfde continuüm. Soms herinneren we ons de dingen vlot, soms met een beetje nadenken, soms na zwaar nadenken en soms gewoonweg niet. Als anderen ons dan het antwoord influisteren kan dat meteen een "Och ja, ik wist het!" uitlokken. Een stuk verder op het continuüm zeggen we: "Och ja, nu je 't zegt, ik begin het me te herinneren. Maar het komt van ver!" Van daaruit is het maar één stap en we herkennen zelfs de ingefluisterde antwoorden niet meer. Wat niet per se wil zeggen dat het antwoord niet in ons hoofd zat. Wetenschappers onderzochten hersenen door er lokaal kleine stroom-stoten doorheen te sturen. Resultaat: mensen begonnen zich heel levendig dingen te herinneren die compleet vergeten leken.

We hebben veel meer in ons hoofd zitten dan we er vlot kunnen uithalen. Onze studerende kinderen kunnen zich daar maar beter op richten. Dat is minder vanzelfsprekend dan het lijkt. Een favoriete aanpak van veel leerlingen is leerstof lezen en herlezen tot ze het gevoel hebben de leerstof te kennen. Ze verwarren herkennen met kennen. Leerstof die onze kinderen al lezende herkennen, zit in hun hoofd. Vandaar de HERkenning. Of ze diezelfde leerstof ook weer UIT hun geheugen kunnen halen, is nog maar de vraag. Dat komen ze maar te weten door het daadwerkelijk te proberen. Een goede studieaanpak impliceert een fase waarin ze dat controleren.

Verbanden leggen

Men is er nog niet helemaal achter hoe en waar informatie in onze hersenen wordt opgeslagen. Wel wordt het steeds duidelijker dat we die informatie opslaan als een netwerk. Elke eenheid informatie is verbonden met veel andere informatie-eenheden. Hoe steviger het netwerk, hoe meer wegen in ons hoofd leiden naar de opgeslagen informatie. Wat het terugvinden meestal aanzienlijk vergemakkelijkt.

Leerstof wordt grotendeels serieel aangeboden: woord na woord, zin na zin. Op dezelfde seriële manier moeten onze kinderen op een toets de leerstof weer teruggeven. Niet te verwonderen dat ze het studieproces daartussen hierop richten. Ze proberen idee na idee op te pikken. In zijn meest karikaturale vorm wordt het: woordelijk vanbuiten leren. Spijtig, ondanks de seriële manier van aanbieden en teruggeven, richt de aanpak ertussen zich best op het zoeken naar ideeën (informatie-eenheden). En hoe die ideeën zich verhouden tot andere ideeën (netwerk).

Minimaal is studerend lezen loskomen van de tekst en in je hoofd zien wat je leest. Het idee in verband brengen met het (voor)beeld erbij doen onze studerende kinderen in meer of mindere mate spontaan. Voorbij het spontane extra inspanning leveren om dat mentale beeld krachtiger neer te zetten, loont.

Onze kinderen bouwen een nog steviger (en logischer) neuraal netwerk op door voortdurend bewust te focussen op hoe dit kleine stukje leerstof past in het grotere geheel. Eenmaal in het hoger onderwijs ligt deze aanpak al wat meer voor de hand, omdat de kennisgehelen die er moeten verwerkt worden meestal groot zijn. Voor kinderen in het lager en secundair onderwijs is dat veel minder het geval. Maar ook al zou hun leraar hen geen vragen stellen over hoe de leerstof van vandaag zich verhoudt tot die van gisteren, toch verwerken onze kinderen de leerstof beter zo.

Een praktische hint hierbij is expliciet aandacht hebben voor wat we mooi 'tekstreliëf' noemen: titels, vetgedrukte tekst, grafieken enzovoort.

Hoewel, helaas, ook dat te relativeren valt. Anders dan in het hoger onderwijs zijn schoolboeken in het lager en secundair onderwijs meestal ontworpen met het oog op het gebruik in de klas. Niet zelden ten koste van de 'studeerbaarheid' ervan. Met als belangrijk kenmerk een gebrek aan structuur ten behoeve van degene die uit het boek moet studeren. Maar hoe dan ook, onze kinderen kunnen maar beter leren aandacht te hebben voor de uiterlijke tekstkenmerken en hoe die hen kunnen helpen zicht te houden op het geheel.

Een andere valkuil is het rechtstreekse gevolg van een andere realiteit in het lager en secundair onderwijs, namelijk vaak getoetst worden over betrekkelijk kleine kennisgehelen. Dat stimuleert niet om leerstof te kaderen in het grotere geheel: "Wacht eens, dat doet mij denken aan... Nee laat maar, dat moeten we nu niet kennen." Leren studeren is zonder meer leren inzien dat het toch de moeite loont dergelijke verbanden uit te diepen.

Zoeken naar ideeën en hoe die ideeën onderling samenhangen, is een proces dat onze kinderen kunnen faciliteren door op papier vast te leggen wat ze in hun hoofd bezig zijn te doen. Schematiseren heet dat. Schema's zijn niet meer dan een reflectie op papier van een parallel proces in ons hoofd. Daarover verderop meer.

Niet alle leerstof heeft een even duidelijke en vooral logische samenhang. Waar logische verbanden ontbreken, kunnen we altijd nog eigen verbanden gaan fantaseren. Onmiddellijk schrijf je met dubbele d en dubbele l. Twee doden geven onmiddellijk twee lijken, is zo een gefantaseerd verband. We spreken van mnemotechnische hulpmiddelen of gewoon: ezelsbruggen. Anders dan de naam doet vermoeden, zijn ezelsbruggen voor mensen die hun verstand verstandig weten te gebruiken. Ook daarover verderop meer.

Studeren in functie van de manier van toetsen

Ouders die hun kinderen regelmatig overhoren, weten het. Soms lopen onze kinderen vast op de vraag en is een kleine aanwijzing voldoende om hen daarover heen te helpen. De aanwijzingen in onze vraag waren net niet sterk genoeg om het antwoord in hun hoofd terug te vinden. De extra aanwijzing maakte het verschil.

Hetzelfde kan hen tijdens een toets overkomen. Met dat verschil dat ze dan meestal niet kunnen rekenen op een extra aanwijzing. Daarom loont het in de studiefase na te denken over de vragen die ze op school kunnen verwachten. Het helpt hen vanuit aanwijzingen in de toetsvraag makkelijker bij het antwoord in hun hoofd terecht te komen.

Het helpt ook in de studiefase het optimale verwerkings-niveau te bepalen. Sommige leraren geven meer punten weg naarmate ze hun eigen woorden terug lezen op de toetsen van hun leerlingen. Het spreekt voor zich dat dit leidt tot een andere 'optimale aanpak' dan wanneer onze kinderen zich kunnen verwachten aan inzichtvragen waarbij verschillende stukken leerstof met elkaar in verband gebracht moeten worden.

Herhalen

We kunnen ons geheugen dus zien als een netwerk van informatie. Hoe uitgebreider het netwerk, hoe meer kans op herinneren. Een ander beeld is herinneringen te zien als een spoor dat ze achterlaten in onze hersenen. Leren is dan het aanleggen van dat spoor. Hoe steviger het spoor, hoe beter we ons de dingen herinneren. Soms maken dingen zoveel indruk op ons dat één keer aandacht geven voldoende is om het ons levenslang te herinneren. Meestal is dat niet zo. Dan is meer nodig. Bij elke herhaalbeurt vergroten we de kans ons die dingen een volgende keer vlotter ter herinneren. Of anders, elke herhaalbeurt verstevigt het spoor in onze hersenen.

Gespreid herhalen

De favoriete aanpak van de meeste kinderen is hun studeren uitstellen tot het laatste moment. Waarmee ze alleen maar bewijzen dat niets menselijk hen vreemd is. Hebben we in meer of mindere mate niet allemaal de neiging uit te stellen wat we niet graag doen?
Behalve dat weten veel kinderen zich te verdedigen: "Als ik dat nu al begin te leren, ben ik het dan toch vergeten!" Niet zo'n verstandige opmerking want onze hersenen

lijken die 'vergeetperiodes' nodig te hebben. De avond voor de toets 30 minuten studeren brengt minder op dan gespreid over de week drie keer tien minuten waarop telkens de hele leerstof wordt doorgenomen. Onze hersenen blijven na het leren nog een tijd doorgaan met het verwerken ervan. Een proces waarvan we ons niet bewust zijn. Vandaar.

Het ideale moment om iets te herhalen, is dat waarbij ons kind behoorlijk moet nadenken om zich de dingen te herinneren. Mocht dat niet lukken, dan moet hij bij het bekijken van het antwoord minstens een och-ja-natuurlijk-gevoel hebben. Wacht hij langer, dan tekent hij voor te veel opfristijd in een volgende herhaalbeurt. Maar ook als hij te snel herhaalt, besteedt hij op termijn meer tijd en energie dan nodig.

In de praktijk zal blijken dat de tijd tussen deze ideale herhaalmomenten steeds langer wordt. In het begin vergeten we gemiddeld vrij snel. De eerste hehaalbeurt bevindt zich meestal niet meer dan enkele uren, hooguit een dag verder. Daarna rekken de 'ideale' tussenperiodes zich uit van enkele dagen over enkele weken en maanden naar enkele jaren. Door het zo aan te pakken, voorkomen we vergeten. Zelfs op langere termijn. Maar is dat het opzet van onze kinderen? Voor hen is onthouden tot de volgende toets meestal de norm. Toch is het zelfs vanuit dat perspectief niet onverstandig om bepaalde leerstof met verstandig geplande herhaalbeurten paraat te houden. Het helpt nieuwe leerstof logisch te verbinden met bestaande kennis (zie hoger). Uiteraard loont dit het meest voor vakken die meer dan andere voortdurend verder bouwen op het vorige. Taalvakken en wiskunde zijn er een mooi voorbeeld van.

Meteen is duidelijk dat de vuilnisemmer een slechte metafoor is voor ons geheugen. Na een periode van hard studeren, moeten we ons geheugen niet leegmaken om plaats te maken voor nieuwe dingen. Het tegendeel is waar. Hoe meer we (paraat) in ons geheugen hebben zitten, hoe makkelijker het wordt er nieuwe informatie bij te stoppen.

Supermemo© is een computerprogramma dat de ideale herhaalbeurten voor elk stukje leerstof afzonderlijk berekent. De wetenschappelijke basis van Supermemo (supermemo.com, ook: supermemo.nl) is behoorlijk sterk. Een absolute aanrader voor elk studerend kind.

Leerstof telkens anders manipuleren

We halen meer uit een herhaalbeurt door de leerstof bij elke herhaalbeurt op een andere manier te manipuleren. Door dat te doen, ontstaan steeds andere verbanden.

'Van het begin tot het einde' is de meest voor de hand liggende aanpak. Liefst in hun eigen woorden. Behalve dat 'in eigen woorden' al een eerste manier is om leerstof te manipuleren, is het een middel om zichzelf te dwingen na te gaan of ze de leerstof voldoende begrijpen.

Ook 'begrijpen' wordt vaak verkeerd begrepen. Waarbij 'begrijpen' en 'niet begrijpen' gezien worden als de keerzijden van eenzelfde munt. Tussen begrijpen en niet begrijpen ligt een continuüm. "Begrijp je 't? Of niet?" vragen we hen, terwijl ze ergens op het continuüm ertussen zitten. Niet moeilijk dat we hen aarzelend zien antwoorden. We komen veel meer te weten over hun niveau van begrijpen door hen te vragen het in eigen woorden uit te leggen. Of eigen voorbeelden te bedenken.

In een volgende herhaalbeurt kan je kind de chronologie veranderen. Kris kras door elkaar of van achter naar voor.

Het kan ook anders. Eerst begrijpend lezen. Dan een schema maken. Ten slotte het schema in eigen woorden aan elkaar praten. Dat zijn drie beurten waarin de leerstof even vaak anders gemanipuleerd wordt.

Belangrijk is dat je hierbij niet zozeer de concrete voorbeelden onthoudt, maar het mechanisme. Elke leerstof is verschillend en biedt andere mogelijkheden om gevarieerd te manipuleren.

3.1 Schematiseren

Een kind dat op zoek is naar de ideeën in zijn leerstof en hoe die ideeën onderling samenhangen, kan botsen op de limieten van zijn werkgeheugen. Een blad papier kan helpen de manipulatieruimte te vergroten en op die manier te komen tot meer overzicht, dieper inzicht, sterker begrip enzovoort. Om dat te bereiken, verwoordt je kind elk idee zo kernachtig mogelijk. Vervolgens zet het deze kernachtig geformuleerde ideeën uit op papier, en wel zo dat in één oogopslag de onderlinge verbanden duidelijk zijn. Daarmee hebben we de twee belangrijkste spelregels achter elk goed schema in kaart gebracht.
- Spelregel 1:
  Kernwoorden (ook sleutelwoorden genoemd) ...
- Spelregel 2:
  ...overzichtelijk op papier weergeven.

Schema's zijn dus een reflectie op papier van een proces dat zich in de hoofden van onze kinderen afspeelt. Het blad voor hun neus vergemakkelijkt dit proces niet alleen (grotere manipulatieruimte), het werkt ook stimulerend. Het schema dat ze willen maken, nodigt hen uit na te denken over de begrippen en hoe die onderling samenhangen.

We haasten ons om enkele misverstanden de wereld uit te helpen.

- Misverstand 1:
  Er is zoiets als hét kernwoord. Fout. Een goed gekozen kernwoord helpt je kind zoveel mogelijk gerelateerde informatie uit zijn geheugen op te halen. Ook uit wetenschappelijk onderzoek blijkt dat de kernwoorden die mensen kiezen erg kunnen verschillen en toch heel effectief kunnen zijn voor de betrokkenen.
- Misverstand 2:
  We besparen ons kind werk door het schema in zijn plaats te maken. Fout. Het leereffect zit 'm niet zozeer in het eindproduct, het schema. Wel in de weg er naartoe (het proces).
- Misverstand 3:
  Kernwoorden zie je (meteen) of zie je niet. Fout. Een kind heeft soms enkele rondjes nodig om tot voldoende begrip en inzicht te komen. Zijn schema kan onder-

weg evolueren van veel naar steeds minder tekst. Van minder goede naar steeds betere kernwoorden. Ook de onderlinge verbanden kunnen onderweg wijzigen.

Klassieke schema's hebben een rechtlijnige opbouw, van links naar rechts of van boven naar onder. Pijlen leggen de onderlinge verbanden bloot.

MindMaps©

Tony Buzan bedacht een manier van schema's maken die veel beter aansluit bij de manier waarop onze hersenen van nature werken. Hij doopte zijn creatie de MindMap© en werd er wereldwijd bekend mee. Op bladzijde. 34 vind je een MindMap die veel van de tekst hieronder weergeeft. Een MindMap over het maken van MindMaps dus.

Eerste spelregel: neem een wit blad zonder storende ruitjes of lijntjes en leg het dwars. Een brede lage foto (liggend) sluit beter aan bij de natuurlijke manier waarop we onze omgeving waarnemen dan een smalle hoge foto (staand). Onze hersenen zijn getraind om snel een beeld te overzien dat breder is dan zijn hoogte. En omdat het in schema's nu net draait om overzicht kunnen we maar beter vertrekken van een breedbeeldblad.

Zet het onderwerp in het midden zodat we later in ons perifere gezichtsveld zoveel mogelijk ideeën meenemen. Fixeer je ogen op een punt voor je en probeer je bewust te worden van wat je links, rechts, boven en onder ziet. Zonder je ogen te bewegen. Dat lukt aardig goed. Ook al zijn we ons in normale omstandigheden niet erg bewust van de informatie in ons perifere zicht, toch verwerken we die informatie tot op redelijk hoog niveau. Dat blijkt uit wetenschappelijk onderzoek.

Elk idee schrijven we op een lijn. De hoofdthema's zetten we op dikke takken. Dik of dun, elke lijn is precies zo lang als het woord dat erop staat en organisch van vorm. Pijlen vervangen we door de lijn van richting te veranderen. Achter de 'knik' in de lijn belanden we dus op het volgende niveau in ons schema. De verschillende ideeën hangen letterlijk aan elkaar. Al deze kleine spelregels helpen meer ideeën op één blad te verwerken zonder in te boeten aan overzicht.

Afbeelding 1:

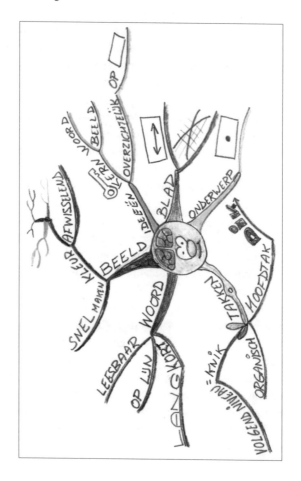

Afbeelding 2:

Bliksem is een elektrische ontlading in de lucht. Meestal zien we bliksem als grote vonken boven ons. Soms zien we alleen wolken oplichten. Dat noemen we dan weerlicht. Donder is wat we horen als het bliksemt.

Omdat geluid zich trager voortbeweegt dan licht, zien we eerst de bliksem om hem pas daarna (als donder) te horen. Het bliksemlicht bereikt ons 'bliksemsnel', vrijwel meteen. Het geluid heeft zo'n 3 seconde per kilometer nodig. Op die manier kan je de afstand tussen jou en de bliksem snel berekenen. Die afstand is (uitgedrukt in kilometer) het aantal tellen (seconden) tussen bliksem en donder gedeeld door drie.

Die afstand kan maar beter groot zijn. Bliksem is namelijk bijzonder gevaarlijk. Mensen zijn er terecht bang voor. De temperatuur in een bliksemschicht kan oplopen tot 30 000 °C.

De weinige woorden die we gebruiken, schrijven we in een duidelijk lettertype. Zaak is dat ze nadien zonder ontcijferwerk in één oogopslag leesbaar zijn. Alweer om overzicht te bevorderen.

Onze hersenen verwerken woorden en beelden afzonderlijk. Als het even kan, zetten we daarom kernwoorden neer als kleine snel te maken tekeningen. Behalve dat krijgen de verschillende grotere gehelen van de MindMap© een andere kleur mee. Kleur en tekeningen maken het geheel beeldrijker, speelser en dus beter verwerkbaar.

De meeste volwassenen gaan MindMaps© pas echt waarderen na er een tijdje mee gewerkt te hebben. Kinderen kijken van het grillige kleur- en beeldrijke patroon helemaal niet op. Volwassenen durven het gebrek aan rechtlijnigheid wel eens associëren met een gebrek aan orde. Fout. Jaren ervaring maakt dikwijls dat we geleerd hebben orde in verband te brengen met rechtlijnigheid. Een boekenplank is ordelijk als de boeken netjes uitgelijnd staan. Van groot naar klein. Of per thema geordend. Een MindMap© is ordelijk op een niet-rechtlijnige manier. En voor alle duidelijkheid, rechtlijnigheid is geen factor die helpt onthouden.

Op het internet vind je behoorlijk wat programma's om digitale MindMaps© te creëren. Ervaring leert dat kinderen vaak nog het snelst gewonnen zijn voor digitaal Mind-Mappen©. Het bekijken waard dus.

We bevelen elk kind warm aan te leren MindMappen©. Met respect voor de spelregels. Niets mis met een kind dat in een volgende fase deze techniek naar zijn eigen hand zet. Integendeel, zo'n kind vertoont zelfsturend gedrag. Zolang hij in de juiste richting stuurt, kunnen we dat alleen maar toejuichen.

Tekstreliëf aanbrengen

De winst van een goed schema is beter inzicht en meer overzicht. Dat effect kunnen onze kinderen dikwijls ook via een kortere weg bereiken. In het voorbeeld op bladzijde 35 heeft Jane voor zichzelf beslist dat rood belangrijker is dan groen en groen belangrijker dan blauw. Met die drie kleuren bewerkt ze de tekst op een manier die haar in een volgende ronde meer overzicht oplevert.

Sommige leerlingen/studenten gaan hier langzaamaan verder en verder in. Ze beginnen te spelen met kleuren en de betekenis ervan.

· Een afzonderlijke kleur voor stukken leerstof die ze zelf interessant vinden.

- Een afzonderlijke kleur voor delen van de tekst die de structuur ondersteunen. Bijvoorbeeld: *eerst*, *vervolgens* en *ten slotte*.
- …

Zelfs het wisselen van de betekenis van kleuren in functie van de context kan.

Het gebruik van een kleurpotlood is aan te bevelen, omdat kleurpotloodlijnen (plusminus) weg te gommen zijn. Blijkt nadien een ander woord beter de kern weer te geven? Geen probleem, gommen en opnieuw. Het weten waard: aquarel kleurpotloden doen het ook op glanzend papier.

Tekstreliëf aanbrengen heeft veel voordelen. Het belangrijkste voordeel, ten opzichte van schema's maken, is ongetwijfeld de tijdwinst. Schema's geven leerstof dan weer visueel overzichtelijker weer. Als greep krijgen op de leerstof problematisch wordt, kan je kind maar beter overschakelen van het aanbrengen van tekstreliëf naar het maken van een goed schema. Waarmee nog maar eens het belang van flexibiliteit in de verf gezet is.

Er zijn twee noodzakelijke voorwaarden om te komen tot flexibel studiegedrag. Om te beginnen moeten onze kinderen zich verschillende studietechnieken eigen maken.

Een nieuwe studietechniek levert niet altijd van de eerste minuut het gewenste effect op. Aan ons om onze kinderen over deze belangrijke hindernis heen te begeleiden. Los daarvan is het nodig dat ons kind gewend geraakt zijn studiegedrag, op basis van voortdurende zelfreflectie, bij te sturen (zie hoofdstuk 2). Een combinatie van deze twee factoren leidt op termijn tot het vinden van de meest effectieve en op hun lijf geschreven aanpak.

3.2 Mnemotechnische hulpmiddelen (ezelsbruggen)

In ons werkgeheugen kunnen we gemiddeld zeven eenheden tegelijkertijd verwerken. Sommige mensen slechts vijf, anderen halen er negen. Eén eenheid is één idee. Uitgedrukt in één beeld, één woord of één betekenis (de betekenis van een korte zin bijvoorbeeld).
Bij meer dan vijf tot negen elementen dreigen we het overzicht te verliezen. Door elementen onderling met elkaar in verband te brengen, reduceren we dat gevoel. Het ene idee leidt in ons hoofd naar het andere. Zo krijgen onze kinderen toch weer het gevoel greep te hebben op hun leerstof.
Niet alle leerstof heeft een even logische samenhang. Geen nood, onze hersenen maken geen onderscheid tus-

sen logische verbanden en gefantaseerde verbanden. Zo'n gefantaseerd verband noemen we een mnemotechnisch hulpmiddel of gewoon een ezelsbruggetje. Sommige ezelsbruggetjes zijn heel bekend. Onze kinderen kunnen ze waar nodig ook zelf bedenken. Hoe ze dat kunnen aanpakken? We leggen het uit aan de hand van enkele voorbeelden.

ROGGBIV is een bekend letterwoord. Elke letter verwijst naar een kleur uit het kleurenspectrum, in de juiste volgorde: Rood Oranje Geel Groen Blauw Indigo Violet.

Dezelfde letters gebruiken om er een samenhangende zin van te maken, kan ook: Roddelen Over GEkke GRote Broer Is Vals.

Behalve met woorden kunnen we ook spelen met beelden. Een *Rode* tomaat ligt hand in hand met een *Oranje* sinaasappel in het *GeelGroene* gras te kijken naar de *Blauwe* lucht. De nacht valt en de Blauwe lucht wordt *Indigo*donker van kleur. De *Violet*kleurige sterren schitteren aan de hemel.

Ezelsbruggen komen ook erg van pas om woorden, hun schrijfwijze en hun vertaling te onthouden.

Een kind dat enkele keren struikelt over *twilight* (scheme-ring, Eng.) kan je vragen aan welk willekeurig Nederlands woord hem dat doet denken. *Twi* aan *twee*, *light* aan *licht*. Vraag hem vervolgens *Twee* en *licht* in één zin te verwerken met *schemering*. *In de schemering* (twilight) *heb je twee* (twi) *keer zoveel licht* (light) *nodig*. Ziezo, het ezelsbrugge-tje is geboren.

Na twee keer twilight geschreven te hebben als twylight, kan het helpen te bedenken: '*t wil* maar niet licht (*light*) worden als het schemert.

Praten over ezelsbruggen lokt standaard enkele steeds weerkerende reacties uit.

- "Is een ezelsbruggetje niet een beetje kunstmatig?" Antwoord: ja! Kinderen gaan het in hun fantasie soms erg ver zoeken. Maakt niet uit, het doel heiligt de middelen.
- "Je moet er maar opkomen", zeggen sommigen. "Dat is toch niet voor iedereen weggelegd." Iedereen kan dit. Al klopt het dat fantasierijke kinderen hier han-diger in zijn.
- "Dit kan je toch niet doen met elk woord?" Dat hoeft ook niet, is het antwoord. Wij adviseren leerlingen een ezelsbruggetje te zoeken op die plaatsen waar ze na enkele herhaalbeurten blijven struikelen.

3.3. Als kunnen belangrijker is dan kennen

Studeren wordt makkelijker geassocieerd met kennen dan met kunnen. Toch is vooral in het lager en secundair onderwijs iets kunnen niet zelden de beoogde resultaat. Franse werkwoorden kunnen vervoegen bijvoorbeeld. Of wiskundige bewerkingen kunnen maken.

In hoeverre is al het vorige van toepassing als niet zozeer kennis (iets kennen) maar eerder vaardigheden (iets kunnen) het beoogde leerdoel zijn?

Vaardigheden kweek je door te oefenen. Liefst in een wisselende context. Die kans wordt meestal in de klas geboden. In de meest ideale situatie zit het zelfsturende kind niet te wachten tot de correcte antwoorden op het schoolbord verschijnen. Nee, met het oog op het willen verwerven van deze vaardigheid (= doelen afbakenen), duikt hij in het oefenmateriaal (= uitvoeren van zijn plan). Voor hij straks naar huis gaat, heeft hij een goed beeld van zijn kunnen (= controle en evaluatie).

· Uit te drukken in "zoveel juist, zoveel fout".
· Of bijvoorbeeld: "In het begin lukte het maar niet. Maar toen ik het plots door had, ging het helemaal goed."

In de meest ideale situatie beseft je kind dat hij dit leerproces thuis nog zal moeten afmaken (= bijsturen). In voorbereiding daarop noteert hij in de klas welke oefeningen fout liepen of voor verwarring zorgden of eerder toevallig juist waren: de struikeloefeningen. Hij neemt zich voor daar thuis op te focussen.

Tot daar de cyclus van zelfsturing toegepast op metaniveau, het kind dat zichzelf stuurt naar het verwerven van de vaardigheid.

Eén niveau lager doorloopt je kind oefening na oefening diezelfde cyclus. Het doel (eerste stap) is bijvoorbeeld werkwoorden vervoegen. Van de leraar kreeg je kind een stappenplan (tweede stap, planningsfase) om tot een goed resultaat te komen: de theorie achter de oefening, de kennis achter de vaardigheid of het kennen in functie van het kunnen. Terwijl je kind de oefening maakt (stap drie, actiefase) controleert en evalueert hij zichzelf (stap vier, controle- en evaluatiefase). De ultieme controle is het juiste antwoord dat op het bord verschijnt (tweede keer vierde stap, controle- en evaluatiefase). En liep het mis, dan is bijsturen (vijfde stap) de boodschap. Volgende keer beter.

In de ideale situatie neemt je kind niet alleen nota van het al dan niet juist zijn van zijn antwoord. Wat hem vooral interesseert is: waarom juist, waarom fout. Dat intellectueel graafwerk levert hem meer inzicht op. Dat hem wapent gelijksoortige oefeningen beter aan te kunnen. En daar draait het toch om?!

Een kind dat enkel leert om morgen op de toets goed te scoren, getroost zich meestal niet de moeite het grotere geheel te zien. Toch kunnen onze kinderen dat maar beter doen.

> *We vervoegen nu de verleden tijd. Hoe zat dat ook alweer met de tegenwoordige tijd? Waar zit het verschil? We zijn nu bezig met Frans. Hoe doe je hetzelfde in het Engels? En in het Nederlands?*

Op deze manier bouwt ons kind stukje bij beetje een stevig netwerk van informatie op, waarbij elke verband dat hij legt uiteraard meer inzicht oplevert. Maar ook meer sporen om op hetzelfde punt terecht te komen. Reken maar dat deze combinatie hem niet alleen helpt beter te scoren. De stevige structuur in zijn hoofd maakt het almaar makkelijker nieuwe leerstof aan het al bestaande kennisnetwerk vast te haken.

4
Motivatie

Een slecht rapport eindigt bij nogal wat kinderen met het goede voornemen het de volgende keer beter aan te pakken. Aan motivatie geen gebrek dus? Toch lukt het dezelfde kinderen vaak niet er hard genoeg tegenaan te gaan. Of hun inspanning lang genoeg vol te houden. Motivatie heeft dus te maken met wat je wil (de richting), hoe hard je het wil (de kracht) en hoezeer je de te leveren inspanning kunt volhouden (volharding).

Nadenken over motivatie kan in verschillende richtingen. We kunnen het hebben over de behoefte van waaruit we in beweging komen. We spreken dan van behoeftegeorienteerde motivatie. Daartegenover staan doelgerichte motivatietheorieën, die staan stil bij de zuigende werking die doelen hebben. Doelen die we onszelf overigens eerst stellen.

Behoeftegeorieënteerde motivatietheorieën

Wellicht de meest bekende behoeftegeoriënteerde motivatietheorie is afkomstig van Abraham Maslov. Hij bracht menselijke behoeften op een gelaagde manier in kaart. Waarbij mensen maar naar een volgend niveau bewegen als de behoeften op een lager niveau voldoende bevredigd zijn. Een kind dat honger heeft (eerste niveau) komt niet tot leren (vijfde niveau). Een meer eigentijds voorbeeld is het kind dat gepest wordt op school: veiligheid, niveau twee. Of zijn plaats zoekt tussen zijn ruziënde ouders: affectie, niveau drie. Voor deze kinderen is komen tot leren (niveau vijf) niet zo vanzelfsprekend.

6 — Zelf-verwezenlijking
5 — Kennis en schoonheid
4 — Respect en waardering
3 — Liefde en genegenheid
2 — Veiligheid en zekerheid
1 — Basisbehoeften: honger, dorst en slaap

De behoeftepiramide van Maslov is niet onbesproken. Er zijn te veel uitzonderingen op de regel: de jongens van Greenpeace zetten soms hun leven op het spel (veiligheid, niveau twee) voor een doel ergens hoog in de top van deze piramide. Toch kan deze piramide voor ouders een houvast zijn. Hoe zit het met de vier lagen onder de kennislaag? Zijn deze behoeften bij ons kind voldaan?

Sommige behoeftetheorieën spitsen zich toe op bepaalde specifieke behoeften. Prestatietheorieën bijvoorbeeld, waarin gesteld wordt dat mensen meer gemotiveerd zijn voor taken met een zekere uitdaging. Kinderen die het op school te gemakkelijk of buitensporig moeilijk hebben, zijn veel moeilijker te bewegen tot schools presteren.

Doelgeoriënteerde motivatietheorieën

Veel boeiender en eigentijdser zijn de doelgerichte motivatietheorieën. Mensen komen in beweging onder impuls van een doel dat ze zich gesteld hebben. Stoppen met roken begint met het voornemen (het doel) te stoppen. Vermageren begint met het voornemen (het doel) te vermageren. Een goede toets behalen begint met het voornemen (het doel) te studeren. Maar niet alle doelen werken even krachtig. Een goed doel is SMART. Of beter

SMARTIE. SMART en SMARTIE zijn letterwoorden. Ze geven aan dat doelen Specifiek, Meetbaar, Acceptabel (aantrekkelijk), Realistisch en Tijdgebonden moeten zijn. De jongere versie, SMARTIE, voegt er nog Inspirerend en Eigen controle aan toe.

"Ik ga Frans leren", voldoet *niet* als doel. Het is niet Specifiek. "Ik ga deze twee oefeningenreeksen van Frans leren", is wel Specifiek maar nog niet Meetbaar. Wanneer beschouw ik dit als gekend? "Ik ga deze twee oefeningenreeksen van Frans leren tot ik er minsten vier van de vijf correct kan maken."Dat doel is Specifiek én Meetbaar. Door hun kinderen hierover te bevragen, stimuleren we hen hun doelen SMARTIE te maken.

- Wat ga je precies leren? (Specifiek)
- Hoe meet je aan het eind of je doel bereikt is? (Meetbaar)
- Hoezeer ben je echt van plan naar dit doel toe te werken? (Acceptabel)
- Kun je dit doel bereiken? Heb je er de capaciteiten voor? Heb je er de tijd en middelen voor? (Realistisch)
- Bijna ieder kind droomt ervan te slagen aan het eind van het jaar. Maar wat betekent dat in het hier en nu? (Tijdsgebonden)
- Wat is behalve goed scoren de meerwaarde van kennis die je gaat opdoen, de vaardigheden die je gaat verwerven? (Inspirerend)

- Heb je alle touwtjes in handen om het doel dat je je stelt ook effectief te bereiken? (Eigen controle)

Heb je ondertussen al de link gelegd met de zelfsturing-cyclus? Ook die begint met het afbakenen van het te bereiken doel. Ouders die hun kinderen vragen stellen over wat ze willen bereiken op korte en langere termijn, werken dus niet alleen het zelfstandig kunnen leren in de hand. In één beweging doen ze iets dat de motivatie van hun kind kan aanzwengelen.

Externe motieven

Doelgeoriënteerde motivatietheorieën hebben het over doelen die mensen zichzelf stellen. Ouders kunnen hun kinderen begeleiden bij het bepalen van die doelen. In hun plaats 'hun' doelen bepalen, motiveert niet ("Jij gaat nu wiskunde leren tot je geen enkele fout meer maakt"). Maar wat als ons kind zich doelen stelt die wij als onder-maats beoordelen? Kunnen we zijn motivatie niet een beetje forceren? Door hem een beloning in het vooruit-zicht te stellen bijvoorbeeld? Uit onderzoek blijkt dat der-gelijke externe motieven op korte termijn kunnen wer-ken. Maar als mensen merken dat deze motieven gebruikt worden om hen te manipuleren dan halen ze op langere termijn vrijwel altijd de intrinsieke motivatie onderuit. Dat geldt voor materiële beloningen (nieuwe spelconsole), maar evengoed voor sociale beloningen (om papa te plezieren).

Nog erger is het gesteld met het bestraffen van slechte prestaties, bijvoorbeeld straffen in ruil voor een slecht rapport. Vergeleken met beloningen resulteren straffen op langere termijn sowieso in een gemiddeld lager of zelfs averechts pedagogisch effect. Onder andere doordat ze de sfeer rond school en studie behoorlijk helpen verzieken. Dat is twee keer spijtig. Een eerste keer omdat we samen met de sfeer ook hun interne motivatie onderuithalen. Een tweede keer omdat op die manier een goed gesprek voeren over schoolse aangelegenheden steeds moeilijker wordt. Terwijl dat gesprek precies hét instrument is dat ouders kunnen hanteren om het studiegedrag van hun kinderen te beïnvloeden. Zo zetten we ons knel.

Blijft er nog de mogelijkheid de kaart te trekken van grote zus of de buurjongen die beter presteert. Het effect hangt deels af van de ingesteldheid van ons kind. Competitief ingestelde kinderen gaan er makkelijker achteraan. Tenminste als ze de kans redelijk achten de kloof te kunnen dichten. Diezelfde kinderen krijgen het moeilijker als het hen niet meer lukt hun concurrenten bij te benen. Gevaarlijk spel dus.

5
Het contexteffect

We hebben als ouder niet alle touwtjes in handen. De geruststellende gedachte daarbij is dat het niet per se aan ons zal gelegen hebben als onze begeleiding niet in het gehoopte (studie)effect resulteert.

Om te beginnen is er de aard van het beestje. Niet elk kind blaakt van zelfvertrouwen. Faalangst is een extra drempel. Doorzettingsvermogen werkt drempelverlagend. Laksheid is een extra drempel. Leergierigheid werkt drempelverlagend. Zo kunnen we nog een tijdje doorgaan. En dan zwijgen we nog van leerstoornissen (dyslexie en dyscalculie) en leerproblemen ten gevolge van andere stoornissen zoals ADHD (*Attention Deficit Hyperactivity Disorder*) en ASS (*Autisme Spectrum Stoornis*).

Het meegaande kind en de rebel zijn de uiteinden van hetzelfde continuüm. Dat het effect van onze studieaanwijzingen onder meer beïnvloed wordt door de plaats waar ze op dit continuüm terechtkomen, is zonder meer duidelijk.

De hersenen van onze kinderen zijn nog onvolgroeid. Tot ze pakweg 25 jaar oud zijn, zal hun frontale hersenkwab zich blijven ontwikkelen. En precies dat deel van zijn hersenen heeft ons kind nodig om zijn gedrag te plannen en te monitoren en om de consequenties van zijn beslissingen vooral op langere termijn goed in te schatten.

Oma die gestorven is. Het vriendje dat geen vriendje meer wil zijn. Papa en mama die ruzie maken. Het emotionele vaarwater van onze kinderen is niet altijd even rustig. Op emotioneel moeilijke momenten is er minder mentale ruimte om schools te presteren.

Broertje dat mag spelen terwijl grote zus haar schoolwerk hoort te maken. Papa en mama die onderuit glijden bij de tv terwijl kindlief achter zijn boeken hoort te zitten. Sommige kinderen ervaren deze overigens heel normale en gezonde gezinspatronen helemaal niet als storend. Anderen zijn al dan niet stiekem jaloers. Ook het gewone gezinsleven heeft soms een remmend effect op het studiegedrag van onze kinderen.

De gevoeligheid van ons kind voor sociale druk kan in twee richtingen werken. In een peergroep waar studieprestaties sociaal gewaardeerd worden, werkt het stimulerend. En precies averechts kan het effect zijn als leeftijdsgenoten studieprestaties associëren met iets dat weggelegd is voor strebers.

Blijft er nog de ruimere maatschappelijke context. De technologische wereld waarin we leven bijvoorbeeld. Een wereld waarin we er steeds meer in slagen dingen sneller en met groter gemak te doen. Studeren wordt hoe langer hoe meer de eenzame uitzondering. Eén van de weinige processen die we nog niet drastisch hebben kunnen versnellen of vergemakkelijken.

Een belangrijke sociale verwezenlijking is de ingekorte arbeidstijd. Wat omgekeerd betekent: meer vrije tijd. De tendens op school lijkt precies tegengesteld. Hoewel het aantal uren op de schoolbanken de voorbije decennia gedaald zijn, is de gemiddelde hoeveelheid te verwerken leerstof toegenomen. Vanzelfsprekend is het allemaal niet.

We hebben niet alle touwtjes in handen

De wetenschap dat we niet alle touwtjes in handen hebben, kan ons helpen ons verwachtingspatroon ten aanzien van onze kinderen realistisch te houden. Zo weerstaan we makkelijker aan de verleiding over te schakelen naar een te dwingende aanpak die op termijn averechts kan werken. Onze kracht zit behalve in het kennen van de mogelijkheden dus ook in het kennen van onze beperkingen.

6
Balanceren op
een slappe koord

We adviseerden je in dit boekje het studiegedrag van je kind te beïnvloeden door hem er vragen over te stellen. De vijf stappen van zelfsturing vormen een praktisch kader waarrond we het merendeel van onze vragen kunnen weven. Zo stimuleren we ons kind tot nadenken over zijn aanpak.

Oud en wijs als we zijn, weten we het vaak beter dan onze kinderen, soms zoveel beter dat het bijna wreed zou zijn hen onze suggestie te onthouden. Maar opletten geblazen. Een slechte oplossing waar ons kind zelf achter staat, kan meer effect hebben dan de betere oplossing die wij hem in zijn strot duwen.
Een goede hint is hem vooraf te vragen of hij onze suggestie wil horen. Zegt hij nee, dan is het wellicht beter deze keer onze mond te houden. In het andere geval kiest hij er

zelf voor. Wat de kans vergroot dat hij er ten volle voor zal openstaan.

Dat de in dit boekje voorgestelde aanpak verre van altijd zal leiden tot een kind dat het aanpakt zoals papa en mama zouden willen, is duidelijk. Misschien moeten we onze verwachtingen bijstellen. Dat las je in het vorige hoofdstuk. Maar is dat altijd hét antwoord? Kunnen we ons kind dat ondanks alles afstevent op ernstige tekorten niet simpel bij zijn spreekwoordelijke kraag pakken en achter zijn boeken zetten? Een eenduidig antwoord is er niet. Net zoals de goede studiemethode er één is die werkt, zo is ook een goede studiebegeleiding er één die op korte en op langere termijn werkt. Daar knelt vaak het schoentje: je kind simpelweg verplichten tot studeren, wil op jonge leeftijd en op korte termijn nog wel lukken. Op langere termijn is het alweer opletten geblazen. Iedere ouder kan zich het effect van deze aanpak op een gemiddeld kind in zijn puberteit inbeelden!? Los daarvan riskeren we op langere termijn dat hij de verantwoordelijkheid voor zijn leren verschuift in onze richting. En samen met zijn verantwoordelijkheidsgevoel halen we ook een stukje zelfstandigheid onderuit, terwijl dat nu net niet de bedoeling was. In het slechtste geval riskeren ouders in een cirkel terecht te komen waarbij hun kind zich almaar weerbarstiger en defensiever gaat opstellen.

Terwijl zij hun kind met steeds meer kracht tot studeren proberen te bewegen. Rond studeren wordt in behoorlijk wat gezinnen dagelijks een kleine veldslag uitgevochten. Schoolse prestaties, of beter het uitblijven ervan, kunnen de emoties torenhoog doen oplopen. Het is zeer de vraag of het mogelijke positieve schoolse effect opweegt tegen het negatieve relationele effect.

In het beste geval slagen ouders erin hun kinderen met zachte dwang over drempels heen te helpen zonder op langere termijn ernstige schade aan te richten.

- Sommige kinderen leren onder zachte dwang stilaan een vast studieritme aan, zonder zich daar slecht bij te voelen. Ze nemen het roer ongemerkt meer en meer zelf in handen.
- Sommige kinderen leren op deze manier in leerstof verhelderend tekstreliëf aan te brengen. Of er goede schema's bij te maken. Zo goed dat ze stilaan als vanzelf op het juiste moment leren grijpen naar deze techniek.

Ook een aanpak tegengesteld aan die welke de rode draad vormt doorheen dit boekje, kan werken.

7
De zelfsturende ouder

De kans dat we hiermee al je vragen beantwoord hebben, is eerder klein. De kans dat je met de wapens die we je meegaven die antwoorden zelf kunt vinden, is veel groter. We zetten je graag op weg aan de hand van enkele veel gestelde vragen.

Muziek

Al dan niet studeren met muziek is in veel gezinnen een heikel punt van discussie. Het argument pro is meestal dat het tof is, het argument contra is dat het kan afleiden. Een ouder die bewust zijn eigen begeleidingsgedrag weet bij te sturen, heeft oren naar het argument van zijn kind. Als muziek studeren tof kan maken, is dat alleen maar een meerwaarde. Hoe leuker de context, hoe makkelijker het vol te houden is. En zelfs als zijn muziek hem afleidt, dan nog blijft het de vraag of de impact daarvan zo groot is dat hij zijn eigen doelen niet kan bereiken. Dat is onderwerp van gesprek.

Het praktische resultaat is dat studeren met muziek soms niet, maar meestal wel de beste keuze is. Althans voor kinderen die aangeven met muziek te willen studeren.

Algemeen geldende eenduidige antwoorden zijn er niet. Wel principes die helpen een goed antwoord te vinden. Goed op dat moment en in die context.

Niets te doen voor school

Ouder zijn van een bolleboos lijkt voor sommigen een droom. Toch maken bollebozen het hun begeleidende ouders zelden makkelijk. Wat doe je als je kind met enkel goed opletten in de klas behoorlijk scoort? De ouder die zijn eigen begeleidingsgedrag voldoende kan monitoren, hoedt zich voor een al te snelle beslissing: "Ga nog maar wat leren, je kunt het nooit goed genoeg kennen." Dat kan je namelijk wel. Deze ouder heeft door dat de uitdaging niet is 'meer werken voor school'. De uitdaging is te leren dat soms inspanning nodig is om iets te bereiken. Wat ouder en kind op het idee kan brengen het in een niet-schoolse context te zoeken: leren gitaar spelen of een zwarte gordel halen in de judowereld bijvoorbeeld.

Algemeen geldende eenduidige antwoorden zijn er niet. Wel principes die helpen een goed antwoord te vinden. Goed op dat moment en in die context.

Eigen kamer

Studeert mijn kind best op een eigen kamer of aan de keukentafel bij mama? De ouder die zichzelf weet te monitoren, buigt deze vraag wellicht meteen om. Is het de keukentafel of de eigen kamer die mijn kind het snelst leidt naar zijn beoogde studie-effect? Welke factoren werken remmend? De eenzaamheid van de eigen kamer misschien. Maar evengoed het gerommel van de keukenpotten. Welke factoren werken stimulerend? De rust van een eigen kamer misschien. Maar evengoed het gezellige van mama die in de buurt is. En last but not least, de langetermijnvraag: welke keuze biedt op langere termijn de meeste kansen op het blijvend behalen van het beoogde studie-effect?

Algemeen geldende eenduidige antwoorden zijn er niet. Wel principes die helpen een goed antwoord te vinden. Goed op dat moment en in die context.

Liggend op bed

Wat met een kind dat liggend op zijn bed studeert? Of wandelend door de tuin? In plaats van terug te vallen op intuïtieve, op eigen ervaring gebaseerde uitspraken, denkt de zelfsturende ouder bewust na. Bereikt mijn kind op deze manier het doel dat hij zich vooropstelt? En is dat doel in al zijn facetten oké? Is het antwoord twee keer ja, dan kan dit kind maar genieten van zijn originele studiehouding. Is het antwoord op één van beide vragen negatief, dan weet deze ouder waar hij het met zijn kind over moet hebben en hoe.

Algemeen geldende eenduidige antwoorden zijn er niet. Wel principes die helpen een goed antwoord te vinden. Goed op dat moment en in die context.

Verder lezen

Meer lezen

JASPAERT, H. EN MAES, P., *Hebbes*. Brugge: Die Keure, 2009.

MAES, P. EN JASPAERT, H., *Als doen leren het niet meer doet*. Brugge: Die Keure, 2010.

MAES, P. EN MAES, P., *Help! Hoe kan ik mijn kind helpen studeren?* Brugge: Die Keure, 2003.

MAES, P. EN MAES, P., *Het o.k.-gevoel*. Brugge: Die Keure, 2004

Voordracht leren leren (één avond voor ouders én jongeren)

≫ www.lerenleren.paulmaes.be

Training leren studeren (meerdere sessies)

≫ www.bestvzw.be

Software: Verstandig herhalen

- Supermemo:
  www.supermemo.nl

Software: Zichzelf overhoren

- Teach 2000:
  www.teach2000.nl

Software: MindMapping

- Mindmanager:
  www.mindjet.com
- iMindMap:
  www.thinkbuzan.com/nl
- eMindMaps:
  Gratis te downloaden op verschillende adressen (Zoek 'eMindMaps' met je zoekmachine, bijvoorbeeld Google).
- MindVieuw:
  www.matchware.com/en
- Freemind (Gratis te downloaden):
  freemind.sourceforge.net

- Cayra (Gratis te downloaden)
  www.cayra.net
- MindGenius:
  www.mindgenius.com
- Mindmapper:
  www.mindmapper.com
- ConceptDraw:
  www.conceptdraw.com
- Edraw:
  www.edrawsoft.com/freemind.php
- Inspiration:
  www.inspiration.com
- Smartdraw:
  www.smartdraw.com
- Visual Mind:
  www.visual-mind.com

NIEUW IN DEZE REEKS:

OOK VERKRIJGBAAR:

- Microfinanciering: Annabel Vanroose
- Onderwijsmethodes: Caroline Top
- Oost-Congo: Walter Zinzen
- Opus Dei: Mark Heirman
- Scientology: Hadewijch Ceulemans
- Verantwoorde voeding: Jan Vannoppen
- Vrijmetselarij: Jimmy Koppen

COLOFON

Help je kind bij het leren
Paul Maes

ISBN 978 94 6058 0574
NUR 740

© 2010 Luster, Antwerpen
info@lusterweb.com
www.essentie.be

Eindredactie: Luster
Coverontwerp: Touch De Clercq
Typografie en zetwerk: Joke Gossé
Druk: NewGoff

De productie van dit boekje (papierproductie, papiertransport en drukproces) veroorzaakte een uitstoot van 282 gram CO_2 (bron: Ecolife). Uitgeverij Luster compenseert deze uitstoot via www.compenco2.be.